蔗尾蜂房詩稿

kama 的 BBS 詩集
1997-2002

羅浩原

文史哲出版社印行
2003 年・台北

國家圖書館出版品預行編目資料

蔗尾蜂房詩稿：Kama 的 BBS 詩集.1997-2002 /
羅浩原著. -- 初版. -- 臺北市文史哲, 民 91
面；公分
ISBN 957-549-493-8 (平裝)

851.486   92001229

蔗尾蜂房詩稿

著　　者：羅　　　浩　　　原
出 版 者：文 史 哲 出 版 社
http://www.lapen.com.tw
登記證字號：行政院新聞局版臺業字五三三七號
發 行 人：彭　　　正　　　雄
發 行 所：文 史 哲 出 版 社
印 刷 者：文 史 哲 出 版 社
　　　　　臺北市羅斯福路一段七十二巷四號
　　　　　郵政劃撥帳號：一六一八〇一七五
　　　　　電話 886-2-23511028・傳真 886-2-23965656

實價新臺幣・二〇〇元

中華民國九十二年(2003)一月初版

本詩集由臺北市文化局贊助出版

「竊以為拙率之辨，在易與不易。以勤補拙，弄巧成拙，擇石實兼有之。試觀其自註中附早作詩，未嘗不求風神澹宕也；集中見存遊賞諸絕句，未嘗不求姿致冶麗也；而如蔗尾蜜房，渣滓多於滋味。」

——錢鍾書，《談藝錄・五十八》

目錄

卷一　蔗尾蜂房・歲時記

卷三 蕭條鵲封・偽情詩

〈代序〉

我詩密的坑洞：論網路詩「永恆/速朽」與「公眾/私密」的性質

近日讀美國傳播學者 Wilbur Schramm 的《人類傳播史》(The Story of Human Communication)[1]，首章討論歐洲史前洞穴壁畫。當中特別詳細敘述了法國拉斯科洞穴(Lascaux caves)的發現經過與洞中壁畫的內容。這個洞穴十分隱密，入口只有兩呎寬(約 60 多公分)，要進去時得頭朝前向下爬行一段狹窄而陡峭的坑道，到達洞穴底部後漸漸出現較寬的石廊，接著又看到一個窄洞口，裡面佈滿難以形容的史前壁畫，有駿馬、雄鹿、巨大的野牛圖(大於實際尺寸達四倍)以及似乎在跳著戰舞的許多人像。相似的壁畫洞在法國西班牙及南非還有不少。

為何史前時代人類要在幽黯深邃的石灰岩洞製作巨幅壁畫？由於史前人類沒有留下文獻，這個問題誰也無法回答。不過洞穴壁畫具有幾項不可否認的性質：1.這些壁畫技巧純熟，繪畫者想要透過藝術達到某種目的。2.這些壁畫故意選在隱密而不易到達的地方，且須借助燭火才能在黑暗的洞中觀賞到這些畫面。3.這些壁畫保存得很好，歷數千年而不壞。可以說洞穴壁畫同時具有「永恆性」與「私密性」。

如果說人類心智具有某種最基本的普遍性的話，這些史前壁畫反映出在文字書寫盛行以前，人類早就開始創作藝術，而且是經過深思熟慮，為了某些特殊的目的而創作藝術。而其中某些藝術，故意選擇私密且不易腐朽的環境，做為藝術的媒介載體與展覽場域。如此一來「永恆/速朽」與「公眾/私密」，是人類自遠古以來的藝術創作所面對的幾種基本變因。

如同《左傳》中記載「立德、立功、立言」的「三不朽」觀點。詩歌語言盛行之後，群體藉著口傳文學保存集體記憶。文字書寫盛行之後，個人開始運用文字來使本身的創作與名聲流傳後

---

[1] Wilbur Schramm 著，游梓翔、吳韻儀譯，《人類傳播史》(*The Story of Human Communication*)，(台北：遠流，[1994]、2001)。

世。這些口傳與書寫的流傳，往往具有私密性、神秘性、排他性，只在小團體中代代相傳，其目的卻是達到永恆性。我將這兩組對立的性質表列出來：

	永恆	速朽
公眾	[1]	[2]
私密	[3]	[4]

　　我們可以看到，上述洞穴壁畫與口傳書寫文學屬於第[3]類。(這裡要說明一下，某些口傳文學雖是由吟誦者在公眾場合表演，但其吟誦內容卻是吟誦者家傳或師傳的秘密。) 第[1]類則屬於碑銘、浮雕等等材料堅實又陳列於公共場所的作品。印刷技術與普及教育盛行之後，某些作品成為第[1]類的普及經典，某些作品則成為市場消費性質的第[2]類作品。至於第[4]類，則是我們必須注意的，因為這可能某人隨性的草稿與塗鴉，或者是——電腦網路WWW&BBS作品。

　　詩的性質是矛盾的，因為詩既是一種對永恆性有強烈需求的作品，又往往是私密的作品，表達極度個人的情感。這樣詩就接近第[3]類。但是詩雖然私密，卻又渴望得到公眾的認同與迴響，並且因公眾而得到名聲，因名聲而擺脫速朽的命運。也就是，在印刷技術與普及教育盛行的現代，私密往往意味著速朽，公眾則是永恆的基礎。這樣一來，詩其實會傾向第[1]類。可是，某些詩人也一直有一種理想，認為詩就是自己的，私密而且瀟灑地隨自己的生命而消逝，根本不想將自己的詩給公眾看，也不屑追求虛妄的「永恆」。這又使我們不可忽視第[4]類的存在，例如，文學史上一些文人死前焚稿，或是死後留下大量從未試圖發表過的遺稿。當然，也有些詩追逐時尚，成為第[2]類，只是近年來現代詩並無太大市場利益，使這類的詩數量較少也不易被人察覺。

　　我也是喜歡寫詩的人，上述問題也困擾著我。我有時告訴自己：要有自信，要有骨氣，要做第[4]類。有時卻覺得我想成名，我想讓自己的詩流傳後世，而朝第[1]類去努力。要不是比較偷懶而不想努力揣摩時尚的話，我的詩恐怕也列入第[2]類作品了。那麼，我可以設法使自己的詩成為第[3]類嗎? 這我得結交一群好朋友，或是加入某個神秘又菁英的俱樂部或集團，或是生出好兒女

克紹箕裘、透過「直銷」的方式去流傳我的作品，但這似乎純屬幻想…

　　近年來 WWW&BBS 成為詩的新媒介載體。WWW&BBS 詩的性質屬於哪一類？難道真如上述所說是第[4]類？如果是第[4]類，是因為詩的品質不好所致？是因為媒介載體的性質影響到詩？是因為媒介載體的性質具挑選性地吸引某類詩人？還是因為佔據第[1]類的印刷媒體力量過於龐大？對新詩創作來說，印刷媒介其實並不是最理想的流通渠道。因為詩不具有功利色彩，讀詩不能帶來實際利益，這是新詩在商業導向的出版市場中漸漸弱勢的原因，但詩所以失去「交換價值」，是因為其本質越來越特殊而使流通的範圍越來越窄。

　　因為社會越來越多元化，意見與情緒也越來越多元化。詩原本能在社會引起普遍的迴響，其實是社會不夠多元化，「公共領域」(Public Sphere)較為狹窄，人與人的經驗與情緒接近的緣故。生活在都市化、分工專業化、匿名的社會中的人們，在自己專業的工作領域、私人的閱讀經驗與業餘嗜好中，形成各種除非有相似體驗否則難以言喻的特殊知感性，當這些個人情緒轉化成現代詩時，本質上就不可能再引起社會大眾普遍性的迴響。

　　詩毋寧說是「情緒的交易」，貨品的需求量小卻種類繁多，平面媒體，其鋪貨的地點雖多，但讀者在貨架上可選擇的種類卻較少，例如，一份報紙副刊每天僅能交易一兩首詩，詩刊則是每隔幾個月才交易一次的市集；BBS 詩雖然是地方性的小雜貨店，可選擇的種類卻較多，而且進行二十四小時不間斷的交易服務。所以我開始覺得新詩需要擺脫對印刷媒介的依賴。當然，不是排斥與放棄印刷媒介，而是尋找更適合的媒介。

　　平面媒體的編輯制度能確保刊登的詩作具有一定的水準，但有些詩作雖然有瑕疵，或是因個人風格太強而破壞了詩的可讀性，但對於長期閱讀某一詩人作品的讀者而言，這些閱讀障礙並不存在，這些詩仍展現了值得閱讀的創意。BBS 詩的讀者可以追蹤特定詩人想要發表的全部作品，甚至在詩版予以回應，參與詩人的創作過程。更分眾的閱讀、即時性地互動回應，與日常性的閱讀，是 BBS 詩的特色，其自由張貼、匿名性質則可以確保作者與讀者之間暢所欲言的自由，我想這正是 BBS 詩所開創的新模式。

　　最初在 BBS 上寫詩，是因為我成為政治大學新鮮人時，「長廊

詩社」正好暫時解散(我大四時才復社)，而「文藝研究社」也處於低潮，我參加了一兩次聚會，覺得有點無聊，所以就放棄了。總之我進大學後是有參加詩社或文學社團的慾望，但在大一、大二時沒有機緣，所以個人也就缺乏創作的動機與慾望。我大三的時候「貓空行館」(telnet 140.119.164.150)的 poem 板板主 weird 正好是系上的學妹，感覺上很親切熟悉，而我又在選修夏燕生老師的英美詩歌課程，受到夏老師的啓發，在讀詩之餘自己也想下筆，才開始寫詩。

但是，對我來說，與其說網路具有「社團」性質，替代了詩社，不如說是私人交誼性質，其實網路上的互動並不如真正的「社團」密切，主要是私人好友小圈圈內的互動，參與者或因網路而認識朋友，或因朋友而進入網路世界。所以我還是認爲網路主要是「媒體」，讓大家有認識、接觸的機會而已。所以我在網路上設板(「田寮別業」kama 個人板)、設台(「個人新聞台」蔗尾蜂房)主要還是想讓自己的作品能有人閱讀，畢竟文學還是要與人溝通，也比較能刺激創作的熱情。公眾感與私下在好友間交換閱讀的感覺仍是不一樣的。

我參與多個網路詩社群多半是接受朋友的邀請(如「山抹」modernpoem 板主 eyetoeye 邀我到山抹，後來發現另一板主 Edsel 是我同學的同學，也成爲朋友。)，或是看到朋友在那裡覺得不錯，(例如看到「田寮」中有 eyetoeye、Edsel、thorn 等人我才過去那邊)。基本上，網路雖然無遠弗屆，其實有頗強的「地域性」，我起先一直在「貓空」，經過很長的時間才到別的網站。

其實我在網路上是不太對別人的詩文發表評論的，就算看到欣賞的作品，也不一定會回應或 e-mail 給作者。不過有時還是會回應，在機緣巧合下就會認識朋友。(例如，我是因爲批評 thorn 的一首詩寫得有問題才彼此認識的。) 網路上比較熱心的網友往往會扮演聯絡中心的角色，例如 ejs、eyetoeye 或幾度活躍又幾度隱退的林群盛。平行出現在同一媒介，在私人好友小圈圈內的互動，是我印象中的網路互動方式。不過主要也是網路上的參與者人數太多，一個人能認識的人有限的緣故。

台灣網路上詩的社群實際上仍然非常非常小，仔細算算參與者並沒有想像中的多，一個人所能接觸認識的網路詩友大概人數就更少。所以「熱心社群事務者」能做什麼？其實還很難說。台灣的網路詩也仍在發展的階段，可能會持續擴大影響，也可能會

走下坡，前途尙難預料，這要看目前的參與者將來會不會繼續投入，也要看是否能吸引新的參與者加入。網路是很個人化的媒介，不可能太合群，而是一群平行並列的陌生人或小團體。網路詩上的「熱心社區事務者」，大概也只能是比較愛發表意見與詩作的個別參與者，如此而已。

撇開詩的群體，我只管自己。我目前的方法是把自己的詩分成「內篇」與「外篇」。「內篇」是私密的，我不想講清楚，也不想與公眾讀者溝通的作品。但認識我的人可能讀的懂。陌生的人，可能會讀出意義，也可能覺得莫名其妙。所以這部分作品我貼在BBS 上，是因爲我知道有朋友會來這裡看。對於陌生的人，我只好說聲抱歉：不是你程度差看不懂我的詩，也不是我作品爛，而是因爲這是我的「內篇」作品。至於「外篇」則是我寫給公眾讀者看的，認識我的人反而會覺得有些無聊或是可笑，甚至罵我寫這種媚俗的作品。沒辦法，這是「外篇」。如果有人批評我「外篇」作品，我會回應、辯解與反省；這是因爲我希望呈現給公眾，讓人能讀懂，並且能賦予我一些永恆性。

我寫詩沒什麼原則，說得好聽是隨機應變，說得難聽是無恆心、反覆無常，或說生活本來就反反覆覆發生許多事情，有許多可能性。詩也是這樣。到目前爲止，網路是我詩密的坑洞，如同上述的拉斯科洞穴。

卷一

蔗尾蜂房・歲時記

十月

猛剜開胸衣
卻看見蒼白乳房
只是對蟻冢
不是蜂房

我恨我自己不是一個詩人

我恨我自己不是一個詩人
我只是一隻披著羊皮的懦弱的狼
一支蒐集核子彈的玩具槍

我的腦袋是個偽裝成郵筒的垃圾箱
苦苦等待我的音訊的知己們
雖然現在你們仍充滿希望

我試過了
在歷史中孤獨的旅行
多雨的初夏夜晚
我縮瑟在
每一個時代的裂縫中
磨利理性
在人欲的競技場上
我屠殺自己
賺取感性

我試過了
我恨我自己不是一個詩人
我沒有快樂
我沒有痛苦
只欠了一屁股債
在鬧市中、在捷運上、
在老樹下、在情人的小手前
我不斷的乞討
詩句
在家人面前、恩師的鼓勵下、
陌生人的懷疑中
我明偷暗搶

終於

當一顆伊比鳩魯派蛀牙
從我口中
超渡到天堂

Thu Oct 2 21:04:46 1997
(《台灣詩學季刊》,第 29 期,1999.12。)

僞君子之死

我只能
以最高瞻遠矚的眼神
看著天際
以最謙卑恭謹的眼神
看著地面
否則我的目光
將殘殺每個同性
強暴每個異性

我只好
用右手捆綁我的左手
時時放在胸前
用眼睛監視牠們
就算我
用牙齒監禁我的舌頭
我惡毒的嘴
仍克制不住地微張
好像總在隨和地微笑

我只配
穿最樸素的衣服
吃最簡單的食物
唱最嚴肅的歌曲
想最深刻的問題
因爲沒有快樂敢靠近我

我必須
躲在最聖潔的地方
因爲只有那裡有我的同類出沒
最驕傲的人也比不上

自認爲是最謙虛的人的我

我原是最虛弱的惡魔
不幸成爲最強壯的天使
我留下千古不朽的美名
卻早已死在出生的那一刻

Wed Oct 22 22:11:09 1997

眼淚

孤枕上
一顆顆灼熱的淚
從晦澀的銀河系
爆發
貫穿太陽穴
墜入
耳渦中旋轉
鬱積
成為洶湧的腦海
淹沒
我倆在沙灘上的足跡

Thu Oct 30 19:29:46 1997
(《台灣詩學季刊》,第 39 期,2002.6。)

靈感

猛剝開胸衣
卻看見蒼白乳房
只是對蟻冢
不是蜂房

舌頭
食蟻獸般苟活

無法再拍擊
鼓脹的一對手鼓
洴出汁液
連掌摑豐腴雙頰
都是樂趣
渾身都是樂器
砰砰然的
生活已經遠去

霸權本是一種無微不至
如今任憑衣服
一件件覆蓋帝國
失去的版圖

強烈的落差感
激化種族衝突似的
無力感
沉淪、古老、喪失精力
正是暴力的前奏曲

雙手逼迫大腦
懷孕

終於，正如你所見
猛然剝開胸衣
流出的不是乳汁蜜漿
是螞蟻

Wed Oct 18 00:40:46 2000

親愛的東區

過了這麼久才向你說抱歉
因為我知道你太累了
會有一段日子不希望被打擾

小時候鐵路旁有一片香蕉林
圍繞著一棟搭蓋的殺豬場
接近傍晚的時候
就會傳來一陣卡車的煙塵
與豬的哀叫聲
那時我怕極了
隨後一長串火車開過
房間的鋁窗被震得鏗鏗做響
我窺伺著窗外長得開不完的火車
在夕陽香蕉林的空隙閃著金金的光
更小的時候忠孝東路邊還有稻田
往延吉街方向看隱約有
一方荷花池閃著金金的光

現在這裡已沒有蒐針草
牆頭的老貓再不用擔心
被刺刺的薊狀草頭射得到處跳
這裡也找不到芒草
再沒有頑童會揚著芒草當旗
一夥人玩騎馬打仗
也沒有殺完魚潑髒水
滿地坑坑磚磚粘著菜渣
矮簷滴水的傳統菜場

我知道你只想靜一靜
不想再聽我解釋

我也不擅長說安慰的話

我出生的那晚
就刮颱風淹大水
長大一點時家門口老在修水溝
出門得小心翼翼地走過一條木板
過了護城河就跑巷子裡玩去了
隔幾年又挖開來修這個修那個
我跨一大步就出門上學去了

有一陣子我出了門就想砸車子
巷子裡到處停滿汽車
來來往往開來開去的汽車
忠孝東路塞不下都塞到巷子來的汽車
各式各樣的汽車
汽車汽車汽車
就我家沒有汽車

捷運修了八年抗戰八年
穿過狹窄的隔著鐵絲網的人行甬道
過馬路要迂迴過一條條壕溝
戰線時進時退
剛填平幾天又被挖了個大坑
鐵路地下化後復旦橋也拆光了
橋邊一排如火如荼的老杜鵑
消失之後當然不可能留下幽香

我想告訴你我外婆家不在鄉下
就在這裡,這裡就是鄉下
然後變成都市,可我家還在這

這次淹水淹得好啊!

市民大道旁最後一小塊
香蕉林與竹叢得到久違的氾濫滋養
生氣勃勃竄生得好高好高
那種肥碩的綠色盆地的綠色
氾濫的濁流
到處是水到處是水到處是水
好過癮好過癮

可是我家門口的椰子樹
長了五六層樓高的椰子樹
去年已砍掉了
因為太高了
對太窄的巷子來說太高了
巷子終究不是谿谷
地下室也不是石洞
但我在頂樓花園看到蜂鳥
正在採蜜

所以你笑了
我也笑了
然後相對一擊掌

Tue Oct 9 01:00:02 2001
(《台灣詩學季刊》,第 38 期,2002.3。)

十一月

因為我手中的幸福
非常真實
就在我手中
只要靜靜地不發聲音
這點非常重要

請把我的頭髮由右往左梳

我到大學附設的理髮部剪頭髮
理髮師拿著一柄發黃的塑膠梳
皺著眉頭在我身後打量我腦袋
剛洗過的頭髮滴著冰涼的水珠
先生，你的頭髮要往那邊梳？

由右往！哈啾！我打了個噴嚏
可是你的髮漩是由左往右漩呀
水珠順著我的脖子滑呀滑呀滑
要由左往右梳才好梳才會順呀
接了一條光纖電線直達我心房
我在剪頭時覺得有點怪怪的說
先生，你的頭髮要往那裡梳？！

小姐，請把頭髮由右往左梳！
你這樣亂梳頭髮容易翹起來喔
我在十四歲時第一次旁分頭髮
我沒看過別人頭髮這樣梳的啦
用一把我爺爺由英國買的梳子
天生髮漩就是這樣何必反著梳
鏡中看著頭髮旁分的閃亮直線
梳左梳右都一樣方便最重要啦
我臉上第一次露出成熟的笑容
先生，你的頭髮要往那裡梳？

我說由右往左就是由右往左！
哎唷！說說而已你不要生氣啦

一把梳過千萬人的老舊的梳子
藏著洗不淨的髮垢和幾根頭髮

說不定夾雜著某位教授的思想
不情願地從我每一吋頭皮劃過
旁分成一個被稱為自由的偏見

Fri Nov 7 21:57:58 1997
(《台灣詩學季刊》,第 29 期,1999.12。)

快速帆船

妳是一艘快速帆船
一艘獵取靈感的海盜船
我是一艘笨重的運輸艦
徘徊在書本與書本之間

妳的偏見賞我一記側舷齊射——
熾熱的信仰
夾雜著
善變的硝煙
轟斷我每一條思索
炸壞我的船舵與瞭望台

妳隨即由上風處強登我的思想
哦！理性，我可憐的水手長
已在妳唇槍舌劍下陣亡
我困守在船頭固執的碉堡
手持愛面子的盾牌
與死心眼的毛瑟槍
仍然阻止不了

妳窩心的、
匕首般的
短詩
襲上心頭
誘惑我誤上賊船
做一個漂泊的荷蘭人

Tue Nov 11 20:12:46 1997

陶笛

我手中的陶笛
非常真實
因為它就在我手中

細胚灰陶
呈橢圓蛋形
底部扁平
尖端有吹口
正面共有六個按孔
後面另有大小兩個按孔
請相信我
我手上真的有
真的有陶笛
只是我不會吹奏

請不要說
無法吹奏的陶笛
不是真的陶笛

因為我手中的幸福
非常真實
就在我手中
只要靜靜地不發聲音
這點非常重要

Mon Nov 20 02:05:32 2000

有時世界綺麗
——詩賀摯友林界綺、林玉眞新婚快樂

有時世界綺麗
自由自在的鹿群又在山谷漫遊
一座森林悄悄往另一座森林移動
這不是忙碌生活中的幻想
而是每一天睜開眼睛
都希望是一個幸運的早晨
一醒來世界就是綺麗的
繁瑣的公事與家務皆成爲
一連串的小小溫馨
當然有時候覺得不過是置身於
嘈雜不堪的塵世間
可是遲早會發現
原來一直在尋找的美玉真的存在
存在於每一塊樸拙的石——
如石塊般尋常卻又如此堅定的
每一天

Thu Nov 22 23:41:03 2001

十二月

如果十二月八號
我不送她生日禮物
如果日軍忘了偷襲珍珠港
如果以後每到這一天
她都沒有接到我的禮物
卻仍像珍珠港般等待
我怎可以懷疑歷史上的每一天
及未來無數
靜靜陪在她身旁的日子

她出生的那天,日軍偷襲珍珠港

我必須告訴你...
她出生那天,日軍偷襲珍珠港
十二月八號
十二月八號...
...歷史上有無數個十二月八號
十二月八號有無數人出生...

可是
日軍偷襲珍珠港的十二月八號
卻是獨一無二的
她出生的那個十二月八號
也是獨一無二的

你必須聽我說...
其實
她出生那天,日軍並沒有偷襲珍珠港
聯合艦隊與零式戰機早已灰飛煙滅
日軍偷襲珍珠港那天,她並沒有出生
甚至連她的父母都還沒出生

我不說你也知道...
而且
日軍不會為了她而偷襲珍珠港
她也不會因為偷襲珍珠港而誕生

你想我一定會說...
但是
如果日軍沒有偷襲珍珠港
如果她沒有出生
那麼我的十二月八號

就會成為另一個十二月八號

至少
十二月八號不會變得
這麼痛苦、這麼快樂

我，卻對你說...
不過
十二月八號到底發生過多少事情
並不重要

所以
日本偷襲珍珠港
也不重要
她在這天出生
更不重要

我想我一定會說...

因此
為何我要記得她出生在十二月八號
而想起日軍偷襲珍珠港
連帶想起十二月八號
所發生過的一切?
為何我在十二月八號這天
想起過去發生的一切
會忘不了日軍偷襲珍珠港
連帶想起這是她的生日?

你，卻聽到我說...
也許
並不是十二月八號這天

我們可能記錯了
再加上珍珠港在國際換日線上
連她的父母也不記得
她生日是舊曆還是新曆
我們還要相信十二月八號
確實是她生日嗎?

不過
我不能再這樣跟你說下去了...

如果十二月八號
我不送她生日禮物
如果日軍忘了偷襲珍珠港
如果以後每到這一天
她都沒有接到我的禮物
卻仍像珍珠港般等待
我怎可以懷疑歷史上的每一天
及未來無數
靜靜陪在她身旁的日子

可是
你應該知道
我就是說不出:
我願意! 我願意!

Mon Dec 1 12:11:53 1997

害羞

我寧願說出心海底層的一切
好奇的粉紫燈籠魚
害羞的小海膽
沉船的遺跡
也不願妳看到
最小的浪花
在我臉上湧現

Fri Dec 19 20:22:19 1997
(《台灣詩學季刊》,第 29 期,1999.12。)

九連環

一

腋窩與髮渦
發音很相近對不對?

二

左輪槍中只有一發子彈
妳與我玩俄羅斯輪盤

陽穴、瞳孔、指紋、手電筒、酒渦、髮漩、 ……碰!
　圓唇音、腳踝、蕈狀雲、黃玫瑰、
　　蛔蟲、捲舌、胡旋舞、
　　迴路、肚臍眼、
　　法螺、攪拌器、
迴轉車道、汽球

三

畫中的一球冰淇淋
慢慢
慢慢融化
慢慢融化成

一球真的蝸牛

四

故障的摩天輪上
只有你與我

蜷縮在一起

故障的地球上
只有妳與我
蜷縮在彼此臂彎

五

「對不起，總是妳替我背黑鍋…」
「誰叫我上輩子欠你…」
「說不定是…我欠妳…」
「你欠揍啦你！」
「妳想揍我那裡？揍這裡？揍這裡？」
「你烏龜啦！不甩你了！」
「那我要妳幫我生個龜兒子…」
說著，憐惜地撫摸她
渾圓的肚子……

六

握拳的時候
你真的沒想到人是圓的
像胎兒一樣
手啦,腳啦,都會不自覺地蜷曲
直到縮成一團
如同被圍毆打死的少年

七

轉轉轉轉轉轉轉轉轉
我一直轉不到我要看的那一台

八

拿起玻璃碗
扣到
眼珠上
以饗讀者

九

謊話留給你來圓

Tue Dec 29 16:00:29 1998

一月

悲傷是一個
水藍的
半透明的
漂漂蕩蕩的
長滿敏感圓圓觸角的
無情的水雷

孟宗竹

你　出生便像　把匕首
狠狠地刺破大地之母的肚皮
不等最後一塊殘雪融化
你便立志成為一柄長矛
以兩天成長三倍的速度
迫不及待地要在幽暗的叢林中出頭
戳穿所有的老葉朽木
去挑戰太陽

只可惜你是未竟全功的巴別塔
中年危機比想像中更早來臨
於是你為人處事不再直爽
一節一節的心眼越來越深
面容隨之漸漸蠟黃
你開始枝枝蔓蔓起來
成為一叢橫行的濃鬱陰影

遠遊的過客向你致敬
誤以為你是窮山惡水間
一面激勵人心的綠色軍旗

其實你只是用鏽跡斑斑的長槍
撐起千瘡百孔的綠帳篷
終戰後仍在山中的逃兵

Fri Jan 9 12:02:21 1998

悲傷

悲傷是一個
水藍的
半透明的
漂漂蕩蕩的
長滿敏感圓圓觸角的
無情的水雷

Fri Jan 9 19:27:11 1998
(《台灣詩學季刊》,第 30 期,2000.3。)

偷窺狂

躡手躡腳,心跳加速
偷偷窺視的他全身緊繃收縮
如做愛的興奮狀態
掌心間酸黏的汗
濕了又乾,濕了又乾

黑暗中,瞳孔緩緩綻放如一朵墨菊
猥褻瑣事嗡嗡地飛入他的眼睛
嘈雜中,耳朵是極有耐性的篩子
等鴉片汁自罌粟渣中滴落
他嗅著獵物的氣味
用嗅覺肆無忌憚地舔舐獵物全身
幻想著,幻想著
現代人已找回狩獵的本能

但他算不上一個好獵手
畢竟偷窺只是不流血的前戲

Mon Jan 12 15:47:53 1998

抽菸

你點燃一支菸
如干將打造一支劍
干將打造過無數支劍
如你點燃過無數支菸

直到無數殘菸
如被干將毀棄的利劍

你永遠找不到你的
最後一支菸
如干將一直在尋找他的
第一支劍

Sat Jan 2 10:50:25 1999
（《台灣詩學季刊》，第 39 期，2002.6。）

我抓到了一隻綠繡眼

就這樣從我腦後
俯衝
落於我掌中

在四目相對之前
抖羽毛
振翅三次
舉起冰涼的左腳
消失

十分鐘後
連掌上爪痕
也莫名其妙地
融化

靈感

仍存在
已消失

Thu Jan 14 13:22:46 1999
（《台灣詩學季刊》，第 39 期，2002.6。）

二月

我必須珍惜這最後的
噩運當頭的
憂愁滿腹的
石綠色的老虎
在台北叢林中

石綠色的老虎

路邊違規停車
使十字路口心肌梗塞
走在路上的我
心突然開始絞痛
因為在堵塞的車陣中
藏著一隻石綠色的老虎
隨時會撲到我面前
像祕密警察般將我押入車中

在台北峽谷
我必須珍惜這最後的
沒有溫度的陽光
就算這陽光照得峽谷更陰霾
因為在陰霾的世界中
還有一隻石綠色的老虎閃閃發亮
翡翠的雙眼、青金石的筋骨、青銅的爪牙

我知道須臾間、轉瞬間、剎那之間
石綠色的老虎已壓在我胸膛上
彷彿是夢寐中的情人向我投懷送抱
令我嚇瘋了般地狂喜

我知道下一秒、下一秒、再下一秒
石綠色的老虎就會溜走
我不想追趕
也不想逃跑
我只想站在這裡背對著
享受一隻石綠色的老虎站在我背後

凍我的脊背

燙我的脊背
如夏夜的冷汗滑過我的脊背

有時我也淚流滿面
眼睜睜地看著石綠色的老虎
漸漸變紅
漸漸變黃
漸漸變白

甚至在夢裡
我都不確定是我吃了石綠色的老虎

我必須珍惜這最後的
噩運當頭的
憂愁滿腹的
石綠色的老虎
在台北叢林中

Tue Feb 24 17:18:01 1998

三月

永夜並非
妳所想像的那種黑
並非黑燕在黑海上于飛
並非黑髮包在黑函中

永夜並非
一串瞳孔項鍊
並非暗殺中的減音器
並非詩中的暗喻

四大輓詩：（四）

我的電腦中毒之後
我才發現
各式各樣的晶片
像棺材嵌在綠色的ＩＣ板上
組成了人類的記憶迴路
歷史的系統總是不斷要求升級
拔掉一些舊的
換上更多新的

顯示不了真實的結果
我的墓碑
是一部故障的終端機

連接不上過去與未來
我的牌位
是一台裝飾用的伺服器

死其實是一種很先進的高科技
一個永遠解答不了的謎

我的電腦中毒之後
我才想起
我曾希望自己像一桶核廢料
生前發光發熱
死後永續輻射
至少像一個空虛的寶特瓶
永遠在海上漂蕩
或是死在機密檔案室的保險櫃
一份密封的卷宗裡
最不濟也要死在圖書館撤架區的角落

一本積滿灰塵的詩集中

我卻又希望我的骨灰
像線裝書被丟進毛坑一樣
被倒進抽水馬桶
沖到無底的太平洋

卻又希望我像路旁的死貓
被喝醉的巨輪碾過肚腸後
發出一聲一聲的慘叫最後終於死掉

卻又希望我像速食店的漢堡
不知被誰製造
不知被誰販賣
不知被誰收買
不知被誰吃掉

我的電腦中毒之後
矛盾的頭腦中
死的意象如視窗不斷地開啓
一重一重的視窗好像一個通道
我好像只要
走進去
就能夠忘記生、忘記死

又好像那個病毒就要
走出來
像一個走失的孩子
終於回到了家

Sat Mar 7 14:11:16 1998
(《台灣詩學季刊》，第 30 期，2000.3。)

初戀情人的照片

初戀情人的照片
一張拍壞了的完美
十六歲的她
有兩個重疊的
模糊不清的身影

初戀情人的照片
是年少的我用複雜的單眼相機拍的
用我從父親書房偷來的
跟了他十六年的昂貴相機拍的

初戀情人的照片
透過十六歲的
未經調整的鏡頭
我看了一遍又一遍
錯誤的焦距重疊了兩個時空
我又成為十六歲的我
喀擦!
就像按下傻瓜相機一般
不經意地
拍下偏藍的歲月

看著她背後的教室與長廊
我又躲在廊柱的陰影中
偷偷素描她的背影
卻赫然在照片的陰影中
發現一隻怪獸
跟蹤了我六十年

這張照片從未泡過水,受過潮

從未被拋在桌前
從未曬過七月的豔陽
沒有摺痕
沒有汎黃
完美的殘缺回憶

隨著我年齡的增長
十六歲的她
像我妹妹
像我女兒
像我孫女

隨著我生命的消逝
十六歲的她
像我姐姐
像我母親
像哄我安眠的祖母

Thu Mar 12 10:03:08 1998

永夜

永夜並非
妳所想像的那種黑
並非黑燕在黑海上于飛
並非黑髮包在黑函中

「西極之南隅有國焉
不知境界之所接
名古莽之國
陰陽之氣所不交
固寒暑亡辨
日月之光所不照
固晝夜亡辨」

永夜並非
妳的瞳孔
所看見的影像
那些全都不是真實的
妳看不見真實
妳是盲女
我命令妳盲目

「其民不食不衣而多眠
五旬一覺
以夢中所爲者實
覺之所見者妄」

盲
　女
我接收了妳的眼睛

妄
　　目
妳的眼睛是我皇冠上
最美麗的黑珍珠
最狂妄的視野

「東極之北隅有國曰
阜落之國
其土氣常澳
日月餘光之照」

愛我吧
我就是妳的眼睛
妳只需要
眼角細細彎彎
漾著笑意的
空眼框

「其土不生嘉苗
其民食草根木石
不知火食
性剛悍
強弱相藉
貴勝而不尚義
多馳步
少休息
常覺而不眠」

永夜並非
一串瞳孔項鍊
並非暗殺中的滅音器
並非詩中的暗喻

妳是我夢中的日不落國
如果我不願醒來
堅持不醒來
如果妳堅持
不喚醒
昨夜的餘燼

我日光夜景的鏡頭中
整個光天化日
都化做對妳
化不開的
夜
如果我不醒來
對妳說
堅持不說
愛

Wed Mar 22 00:18:06 2000

註：

引號中的文字引自《列子‧周穆王》。

捷運下車前

滅火器嵌在米白色的塑膠壁
像一尊敦煌石窟的菩薩
緊急呼救通話器的紅色按鈕
按下去能否與上帝對話
如果捷運再火燒車
這些安全設備管用嗎?
當然,捷運無人駕駛
如上帝的存在一般可靠
從座位上站起來走到門邊的我
再兩分鐘就要下車了
顯然不適合思考得救於否的問題

Mon Mar 23 13:58:17 1998
(《台灣詩學季刊》,第 39 期,2002.6。)

四月

詩國的外交困境

慢刀大俠

刀.

慢 慢 的

出 刀

慢 慢 的

出 刀 殺 人

慢 慢 的

出 刀 殺 人 後

慢 慢 的

散 步 回 家

慢 慢 的

清 洗

慢 慢 的

刀

Thu Apr 23 12:22:32 1998

詩國的外交困境

詩國遭到外交封鎖
國際地位不斷被打壓
在金元與巨棒的攻擊下
這個月又被迫與五個
玩弄雙關語的國家斷交
詩國光榮獨立的外交傳統
陷入綠雲罩頂的窘境

外交危機引發不信任投票
無韻內閣被迫解散詩壇
少壯派則攻擊意像黨的腐敗無能
當街燒毀紅色手推車抗議
在世紀末大選以前
詩國陷入無政府狀態

據可靠消息指出：
被軟禁的格律黨大老
將在近期內保外就醫
屆時將宣佈參選
用體制內的溫和手段
恢復新古典主義

但意像派發言人重申：
內容重於形式
動員鎮暴警察達達的馬蹄
驅散街頭示威文字
十四行和八行及四行不等的隊形
並逮捕帶頭鬧事的韻腳

預料大選之後

將成立跨世紀的聯合內閣
採取恐怖主義的方式
在尋常的文字間暗藏炸彈
以報復經濟制裁
讀者不可不嚴加防範

Thu Apr 30 13:34:05 1998
(《台灣詩學季刊》,第 30 期,2000.3。)

咳嗽的女孩

妳的頭髮越剪越短
彷彿連洗頭的力量都沒有
如果頭髮是多餘的力量
如果妳的力量依然是黑色的
咳嗽的女孩
彷彿連梳頭的力量都沒有
只有剪刀知道
只有梳子知道
咳嗽的力量

妳的肩膀越來越薄
頸子竟然顯得更細更白晰
如果肩膀是退化的翅膀
如果妳的翅膀依然是白色的
女孩的咳嗽
像霓裳羽衣飛昇時的氣流
只有肩膀知道
只有頸子知道
死亡的重量

Wed Apr 28 11:32:57 1999
(《台灣詩學季刊》，第 39 期，2002.6。)

五月

但溫柔的妳依在我身旁
像革命份子親愛的牢房

拔刀術

凡遇敵，莫先拔刀

手握理性
招式萬千在空中亂舞
其光耿耿
卻只配斷石伐木
殺狗屠豬

奧義：刀中拔刀

將直覺從理性中
憤然拔出
利用離心力產生的加速度
頓悟

Tue May 12 09:44:32 1998
（《台灣詩學季刊》，第 39 期，2002.6。）

倚在溫熱的雪白胴體上

倚在溫熱的雪白胴體上
如枕著銀劍的鋒芒
麻醉般的犬儒主義襲來
床單如冬至的雲亂──
蒼白的反覆交纏
卻沒有一滴雨露

在香汗似的初春融雪上
我重重地滑了一跤
來不及感覺到肉體的痛
已遭到時間的嘲弄──
冬天若捉不到我
絕不會輕易結束

但溫柔的妳依在我身旁
像革命份子親愛的牢房

Fri May 15 17:30:00 1998
(《台灣詩學季刊》，第 30 期，2000.3。)

牛尾湯

世界乏味如一條牛尾
我用想像力爲你煮一鍋
香濃的牛尾湯
於是世界不再乏味地擺盪
驅趕著頭腦簡單的蠅蚋

但無論我的想像力多強
當你想像你品嘗
一鍋香濃的牛尾湯
你仍然不能想像
世界有多乏味

Mon May 25 16:24:30 1998
(《台灣詩學季刊》，第 39 期，2002.6。)

堅冰

每隔一段時間
打開冰箱
戳破冰塊表層
再等它結凍
再戳破再結凍再破
這就是你對待我的方式

P.S.
悲慘的是
我們各開各的冰箱
各自被人開冰箱

Thu May 10 23:15:23 2001
(《台灣詩學季刊》,第 38 期,2002.3。)

六月

甚至看了一張假畫

畫面中的人物無關宏旨
充滿黨派性的暗喻
缺乏關鍵的細節

詩是真的，太真了！

割腕刀

可以是水果刀
削過蘋果紅紅表面
可以是鋸子
飄散金黃的木屑
可以是剃刀
刮過你短髭般的諷刺
可以是塑膠刀
以無比的耐心切
生命的蛋糕

可以是個銅板
卻不打求救電話
可以是一張銅板紙
無情地割死一顆樹
可以是隻筆
可以是把尺

可以是句實話
一排白森森的牙

可以是漫長人生
一首鈍鏽的詩
讓你慢慢的死

Tue Jun 13 00:09:48 2000

單人魚缸

魚
妳好
我
會好好
照顧
妳

雖然
這個透明
對一隻魚來說
太大了一點
太多快樂
冒泡泡
啵…啵…啵…
算不上
曲調

魚
妳可以吼
叫
我聽得到

我給妳
很多很多水藻
與月光細沙圍繞
定時下沉
的飼料
曲折的水影
有霓虹燈
繚繞，有溫吞吞的水

可惜我不了解
水中情調
魚，妳要幸福！
一定要幸福！

魚
睡吧
我
會照顧妳
在台北
窒息的懷抱
妳呼吸
我
呼吸

Mon Jun 26 21:24:45 2000

醉觀任渭長風塵三俠圖失言臥榻追悔莫及

只不過，我的一切都是假的
而你的都是真的

顫抖的鏡中顫抖的妳
鏡中的瞳孔顫抖地映出
顫抖的我自己

平靜的螢幕照著平靜的妳
螢幕中的字句平靜地顫抖
不慌不忙地扭曲妳的瞳孔

只不過，你的一切都是暫時的
而我的都是永久的

甚至看了一張假畫

畫面中的人物無關宏旨
充滿黨派性的暗喻
缺乏關鍵的細節

詩是真的，太真了！

Fri Jun 1 01:35:49 2001

註：
李靖看著紅拂女對鏡梳頭，鏡中出現在窗外逼視的虬髯客。

七月

讓候鳥隻隻落下
島嶼靜靜死亡

若不是為了你

若不是爲了你
我不會落雨

不就是，爲了你

我崩成一塊塊地滑落
灘成一股泥漫流

我暴漲了抑不住的水
溺殺了無辜的人

我暴躁亂刮東北風
波瀾起嶙峋峋的浪

爲了你，是的

我讓滿頭森林青絲落下
不准夏蟬再羽化

我淤積每條青色微血管
白化片片珊瑚灘

只要你明白，是真的
爲了你，我什麼都不在乎！
真的真的不在乎！

假如不是爲了你
我不會落雨
就算我失去了落雨的能力
失去開花的能力

失去蔓生春草的能力
失去一切
我都甘心

所以我今夜要落雨
瘋狂地落雨
至少我今夜不會
去想你

爲了你我還能怎樣?

讓候鳥隻隻落下
島嶼靜靜死亡

Sat Jul 29 18:04:12 2000

八月

回想過去年少的日子
帶齒列矯正器的人不只我一個
羞於見人的牙齒
被改造成白色的牢房
囚禁著熾熱的、想說話的
不斷蠢動的舌頭

牙齒的病歷

昨日的齟齬如暗紅血污
殘留在參差詭譎的齒縫中
妳的好奇只是種冰冷專業
如一柄銳利的齒縫探針
扒糞的記者
發掘不願重談的齷齪角落

回想過去年少的日子
帶齒列矯正器的人不只我一個
羞於見人的牙齒
被改造成白色的牢房
囚禁著熾熱的、想說話的
不斷蠢動的舌頭
而我，在眾人面前
只敢靦腆微笑

回想過去年少的日子
講話漏風的人不只我一個
表面上整齊劃一的口齒
隱藏了多少不標準的口音
而我，只能將一顆顆的
記憶
深植在血與骨中
等待時間這無所不在的鉗子
以無與倫比的耐心
鬆動每一顆化為磐石的
偏見

昨日的難言之隱如齲齒
頑強地藏匿在木訥的牙縫中

妳的關心只是冰冷的問句
如嘶嘶做響的電鑽
一個挖墓的考古家
觸痛我化石般的牙
淤血的神經
而妳的潔白皓齒
如一排貝殼風鈴
優雅地掛在長廊盡頭
當甜美的海風吹起
撥動圓潤牙齒上下起伏
微顫顫地發出悅耳的聲音

清晰而雅正
彷彿是天與地在交談
準確而宏亮
猶如白玉編鐘敲擊出的音符

妳就是用這醫者的口齒
詰問我欲說還休的病歷
如一個口述歷史訪問者
用不帶感情的語言
記錄二十世紀
如一個古蹟修復專家
在配備怪手、吊車與電纜
電鑽、電鋸和探照燈的手術椅上
用洗牙、補牙、拔牙、安裝假牙
用塗氟化物、抽神經與根管治療
來修護我頹圮如圓明園的牙床
治療衰落的口腔文化

但妳這個病理家
能否回答我

牙齒為何存在?

是否只是為了撕咬與咀嚼?
為了發出齒擦音與唇齒音?
或是填充兩頰與裝飾微笑?
是否只是為了讓蓋世奸雄
露出吞噬天地的獠牙?
是否只是為了齒搖髮禿的老嫗
捧粥回憶當年的佳餚?

是否只是為了我
用標準的國語
問這個歷史問題?

Fri. Aug 14 10:33:53 1998

知道妳在看

知道妳在看
我雙簧的笑臉如水中的太陽
自顧自地對話、對句
對中彩券般地興高采烈

知道妳獨白的
臉龐如月光
時而默然
時而燦然

知道妳想說的話都藏在眼中
青睞如閃電
一下又赤霞欲雨
不知又為何事感動

知道
妳不再看
知道我不知道妳離去的背影
它浮亂敲擊赤松、
綠水與白石的時候
究竟發出什麼
恐怖的象徵

Sun Aug 1 13:56:45 1999
(《幼獅文藝》，第 557 期，2000.5。)

九月

兩個魁儡被線牽著
背後千絲萬縷的原因
迫使妳們做出動作
有些動作竟如此細微
但卻被簡單而機械化的動作
遮掩得令人難以分辨
妳們如此逼真
幾乎忘了背後的線

夜讀蘇青歧途佳人疑信參半徬徨莫名

[美]

妳們都是美麗的臉龐
美麗的小腹,美麗的乳房
胸肺卻咳出污血
子宮產下女兒
青春並不給妳們機會

兩個清寒的牧羊女
一位在樹下讀書而看丟了羊
一位因貪玩而看丟了羊
多麼好的羊兒啊
在青春的荒野上漫步

[詳]

妳們說不清了
說不清自己的人生
妳們喃喃地,斷斷續續地
奮力舞動身影
我知道妳們只是小說人物
兩個魁儡被線牽著
背後千絲萬縷的原因
迫使妳們做出動作
有些動作竟如此細微
但卻被簡單而機械化的動作
遮掩得令人難以分辨
妳們如此逼真
幾乎忘了背後的線
幾乎是自由的

為了自由而奮力舞動
可我知道妳們只是小說人物
妳們說不清蘇青
蘇青也說不清妳們
詳細的人生
走失的羊
多麼好的羊啊

[羨]

羨門的意思是
墓穴之門
羨道是墓穴裡的通道
妳們臨淵羨魚
妳們想得到
妳們得不到

墓穴之門
通常不經意就打開了
可前往墓室的孔道
往往幽黯曲折漫長
走進去
就像在尋找走失的羊

Sun Sep 23 11:37:47 2001

卷二

萬石深居・十萬圖

沙漠三首

大沙漠

粗黃虯結的筋肉
隨著呼吸泛著巨大起伏
波浪滔天
懶漢朝天仰睡
一翻身
壓毀一座樓蘭城

綠洲不過是他心中
小小的遺憾
或許曾窺伺過
城郊坎井邊取水
覆著面紗的少女們
把玩著她們
輕快足跡

但綠洲算什麼
他用一根手指就能毀滅
這小小的溫馨
可他縱容了這些
童年回憶

沙漠要毀滅的是
沃野綿延河渠縱橫直到
熱帶傲慢的雨林

Sun May 28 11:00:44 2000
(《中央日報》，2001 年 9 月 17 日。)

沙漠中

你每開墾一百公頃的草原
就會造成三百公頃的草原沙漠化
年雨量 500-250
年雨量不足 250
石與草前世今生不斷
掙扎、纏綿、灰飛的地方
請不要隨便打擾
十年雨量 500-250
十年雨量不足 250
渾渾的沙漠什麼都沒有
什麼都沒有的沙漠正在擴張
虛無正在擴張
百年雨量 500-250
百年雨量不足 250
萬里長城也阻擋不住
無產沙漠尋找可擁有的
真實，如果草原是真實
你每灌溉一百公頃草原
得到八十五公頃旱田
就會失去三百公頃真實
換來三百公頃虛無
而那可憐的八十五公頃假象
也終將被沙漠奪走
同石與草一齊掙扎、纏綿、灰飛
千年雨量 500-250
千年雨量不足 250
沙漠正在不斷擴張
去尋找殺死自己的方法
這就是無權死亡的痛苦
如果虛無就是沒有

那是你誤會了
人類呀人類!
萬年雨量 500-250
萬年雨量不足 250
渾渾的沙漠什麼都有
什麼都有的沙漠正因為
吞噬了一切

Sun May 28 10:48:12 2000

小沙漠

隨處可見的死亡地區
粗燥的死皮
說話時突來的嘶啞
長灰霉的指甲

生命中某幾個月
連續不下雨
回家時發現進門口
有燒焦的痕跡

小沙漠逐漸滲透
它並不想大規模佔領
也不想宣佈獨立
潮濕對它來說算不上
暴政，小沙漠還算
是個和平主義者

妳可以覺得它很可愛
就像雷陣雨後
開走的路邊停車
留下的一塊乾燥區
小沙漠有時頗為溫馨

它不一定是死亡警訊
如果妳可以覺得
死亡很可愛
迷妳的死亡、迷妳的愛

況且人還是有權利摧毀
陽台的盆景

只要妳不澆水、一直不澆水
不用許願
小沙漠就會出現

所以當妳眼睛乾澀
很久很久不曾流淚
請妳微笑一下
向可愛的小沙漠
打聲招呼！

Sun Jun 4 09:51:01 2000

雪夜訪戴圖

一、不可

戴不可訪
冬不可寫

孤舟簑笠不可寫
鴻爪雪泥不可寫
暗香不可寫

雪夜不可畫
寒食散不可食

月落雪窟
雪中芭蕉
銀碗盛雪

南朝的雪
不可食
夜不可食
不可黑白食

二、不可有

訪戴圖不可有輕舟
不可有竹籬茅舍
不可有漫天雪
不可有足跡
不可有月
只能有一條剡溪

三、才怪

夜半過門而不入才怪
沒雪沒舟沒足跡才怪
黑夜白雪不可食才怪
冬不可寫才怪
戴不可訪才怪

流過一條剡溪　才怪

才怪過門夜半而不入
沒舟沒雪沒足跡
雪夜不可黑白食

才怪不可寫不可畫
戴不可訪

註：

《世說新語‧任誕第二十三》：

　　王子猷居山陰，夜大雪，眠覺開室，命酌酒，四望皎然，因起彷徨，詠左思《招隱詩》。忽憶戴安道，時戴在剡，即便夜乘小船就之。經宿方至，造門不前而返。人問其故，王曰：「吾本乘興而來，興盡而返，何必見戴。」

十萬圖

萬壑爭流圖

Submerged Cathedral—Preludes BK 1 No.10
by Claude Achille Debussy, 1913.

大雨有時非常柔順
歌德式大教堂中
迴盪著鋼琴般的清音
生命之水順著
鬼斧神工的人造丘壑
奔騰而下
詭詐如鬼谷子的伏兵

但大雨非常柔潤
如光纖迅速傳遞訊息
使人想起
不斷敲擊的琴鍵
繃緊每一根鋼弦
觸擊歌德式的丘壑——
我胸中塊壘堆成

可妳不了解我
不了解我的顱骨
那祭壇底端的穹蒼頂
任憑大水漫流
不了解我的肋骨
刻著了多少女人的雕像——
妳的形象

雨水

已將教堂重重包圍
可大雨仍是非常柔
非常之柔

我願平躺在空曠的地面
呈十字形
構築一座萬壑
供妳奔流
盡情地
發出各種悅音
一直向上

向上
傳到雲霄九重

當大雨慢慢地
由天上飄浮的谿谷
流下來
淸淸閒閒地
流下

Sat Apr 1 10:39:07 2000

註：

　　德布西(Claude Achille Debussy，1862-1918)爲法國「印象派」
鋼琴家。「沉淪的大教堂」爲其 1910 年創作的鋼琴曲，敘述布
列塔尼亞半島地區中古時代的民間傳說，大教堂因人的敗德
而沉入海中，幸賴神父的道德，使大教堂再度浮出水面。本
詩則爲聆聽此曲時完成。

萬石深居圖

在我面前鬆開
黑髮，披麻皴般蓬散
幾筆飛白
更顯俊逸文思
可惜啊可惜
妳露出
一河兩岸的微笑
雖說我喜歡
北苑情調

分不出是春色
還是秋勢
我總在待渡圖中
成為妳記憶的
淺淺墨跡
就算妳神情猶如
紛亂水濱蘆葦
岔然地沼澤
我的思緒

可知啊可知
萬石藏在畫面之下
塊塊攢頭苦惱
又豈是
淺汀、平灘、疏林
這般清華高貴、雲淡風清

怕只怕歲月捲起長軸
才能在妳面前
細數一萬個

禿筆畫成的日子
我深居的一生

Sat Dec 23 20:33:38 2000

萬點孤星圖

睡眠將生命
暈染成
濃淡深淺乾濕
愁雲夢迴鬟黛
黑甜
散發墨香的夜空
醒時

就是一顆星

人生如此不連續
萬點孤星
每一次睜開眼
明明皆是自己
卻無法相見
沉默地緩緩沉沒
死後
任人連成不同的星座
或是萬古長黑
長眠在筆筆精采
卻被人忽略的
紙背

龐大的星雲

Wed May 16 01:30:32 2001

萬雁俱飛圖

我看到的不是蘆葦
菡萏沙草芒草
強風如弓
筆在弦上不得不發
我看到的不是
萬筆惡墨皴成的沼澤
我看到一隻手

我看到的不是手指
骨節肌鍵神經
反射動作
手已離心在紙上竄生
發根抽莖散葉落花
依照手背密密麻麻的毛
複製平遠寒汀
我看到的不是一隻手
我看到一個人
飄在淡墨中

我看到大雁或浮
或沉或飛或追
或曲頸回首向前看
我看了清楚
蘆花蕩秋雁地裡竟是妳
我驚叫一聲
萬雁俱飛
剩下空空的沼澤
結冰
隔開了我的筆我的手我的心
如一面鏡子

我看到自己畫的手卷
詩塘裡題著這首詩
我看清楚自己在畫什麼寫什麼
驚叫：
萬念俱灰
然後回過頭
看妳一眼

Wed May 16 22:49:14 2001

萬山老冰圖

可曾算算身上
有幾塊從未融化的冰
當初又爲何凍結
水從何處來

如果一座山
沒有水
如果非常冷
非常乾
如果你的心
是火星的山水
如果我在冰上磨墨
呵開你胸膛
你仍是年輕的山嗎
仍是裸露的岩嗎

如果一塊石
沒有水
如果冷極了
你稱這塊石爲冰?

如果有水
滿身汗
墨色粲然
可終究乾了
水生骨
下筆比堅毅
拳拳然
重擊重擊重擊重擊
重擊萬山

你的腦海中
有冰山
鰲龜般漂浮
你的山中
有冰河
龍脈般流動

如果你看到我的畫
就會變成我的畫
發現身上藏著
我
衰老，結凍
但不朽

Sat May 19 02:03:40 2001

萬竹瀟湘圖

看你用食指沾墨
按照自己指節的樣子
畫竹枝
想起去年道聽的
竹枝詞
想起伐柯伐柯的古訓
看著竹林滋生如曠時攝影
你曠日費時的影
投射在畫面上
你的人生也在快轉
甚至轉到未來
興高采烈地指劃
一氣呵成

那竹枝詞吟詠著黛玉
病美人
你說，不是惡竹就是病竹
也不盡然
變態並不是生命力啊
你說，這幾劃要等乾透
再用濕墨渲染
才會渾成、又透氣
我急速思考著
有沒有健美的竹呢
你說，藝術追求美
卻導致反美
畫竹卻在模仿手指
自然模仿藝術
是謂反竹
伐柯伐柯是自殘

畫竹也是自殘

雨後的竹林在嬉鬧
你的指節充滿惡趣味
你的竹長著斑
似乎是病蟲害，又是裝飾
萬竹瀟湘
叢聚丘陵叢聚谿壑叢聚水濱

你的食指
撫遍
我的目光
瀟湘

生命力就是消耗生命力
你不用竹桿筆畫竹
也不真正去畫竹
甚至反竹
難道是一種 由衷呵護
那麼畫面中你的未來你的指
我就不能
顧惜

Wed May 23 00:22:00 2001

萬馬奔騰圖

草原進入雨季
漫流的河
平淺，曲折，扭動
水際幾點黑影在晃
原來是馬
低著頭在喝水
甩動濕淋淋的鬃毛馬尾
翻騰在泥灘上
交著頸蹭著
仰起前蹄互相示威
水際幾匹馬在動
原來是線條
優雅，詩意，高貴

草原進入雨季
漫流的河
河水很遠很遠
平淺，曲折，扭動
但奔騰著
水面有馬的影子

Mon May 28 00:49:08 2001

萬丈深淵圖

就這樣跳過去了
我也不知怎麼辦到的

Sat Jun 16 22:43:04 2001

萬頃碧波圖

海水等溫線開始扭曲
向南移動，鹹度改變
魚群展開索餌迴游
你指著海圖說：
這裡就是底魚的越冬場
一道冰冷的水溫鋒面
割裂

我的體溫局部地改變了
深頸肌如一道涼流
吸氣時難以提舉肋骨
面對你時頸椎與頭難以前屈
目送你時卻禁不住
單側作用
頭總向同側彎曲回轉
體溫鋒面如此強烈
血液濃度改變
思緒迴游
該如何畫心中的海圖

感性已安靜地沉潛
聚集在理性的越冬場

伸指總肌像巨大的水下三角洲
手之影停留在紙上
好像已一把抓住了大陸棚
我多想填滿
畫紙上的空白

龐大，如此龐大

我感覺畫紙
如此蒼白、巨大、沉重
撼不動
躊躇、反覆、顫抖
不能落筆
變成一齣可笑的皮影戲
強光從腦後照來
既不能回頭
也看不到紙背的觀眾

當表層藍洋洋的折射
被理性掀掉
滄白，如此滄白
我從來不曾體會海
如此白濁、鹹鹹、濃稠、冰冷
滿是皺折一紙冬季

你指著海圖講解
密密麻麻的黑線圈
經緯度、座標、數據
說：這就是理性的海

你還是解剖我吧！
在畫紙上解剖執筆的手
測量我吧
透視表情之下的顏面肌
分析何謂俯首
何謂不忍顧
在手腕測出鋒面
在眼中垂量鹹度

我才是真的海

畫紙上萬頃碧波
全是理性
密密麻麻的工筆波紋
亭臺界畫
山島皴法嚴謹
芥點疏林

其實只是一張
空白
早已與自己
割裂

Tue Jun 12 00:02:29 2001

萬江孤月圖

Moonlight--from Suite Bergamasque
by Claude Achille Debussy, 1916

熟悉的鋼琴曲響起
是母校圖書館閉館的廣播聲
數不清多少夜晚
獨自步出校園
帶著一卷卷影印的資料
還散發著說不清的溫度
黑白的字跡
有的沉悶有的驚喜
就像夏夜烘散的地氣
或是典型的陰雨夜
那時從不會想到月光在某處
依然地持續地
在我目光或曾看見
或真的不曾或視而不見的
某處，默默生長
蔓延，也許就在碎夢溪底
在 282 公車濺起的水漬
或者難得地乾燥
我輕搖著空空的礦泉水瓶
空空的礦泉水瓶
飲盡如水的時間蒐集來
一瓶氣般的資料
現在正整齊地堆在我書房
鋼琴聲中圖書館燈火
一盞盞熄滅
結束了，暫時結束了
我的心中不管容納多少

溪流江水
今夜我彷彿又從溪邊
圖書館的深處步出
邊走邊刮展著肋骨
座上空蕩公車回到了家
縱然寫詩的今夜
不巧沒有月光
但我的心已得到巨大的解脫
在樂聲中
爲內心一幅幅掙扎
荒謬、平靜、晦澀、光明
重複翻轉的十萬圖
落了款
蓋了章

Sat Jun 16 22:38:59 2001

註：

本詩寫於反覆聆聽德布西鋼琴曲「月光」的夜晚。

（《台灣詩學季刊》，第 36 期，2001.9。）

消香清夏圖

爲了舒緩浮躁
獨自走到院中靜坐
裸著上身
閉目任汗水滑落
用均勻的呼吸
忘掉黏膩的膚觸
等待冷月冰鎮暑氣
蚊蚋漸漸聚集
又漸漸散去
一縷不易察覺的清香
從掌心升起
因浮躁而點燃
卻能將夏夜熄滅

2002-03-08 22:53:04

冰河三首

大冰河

大冰河告訴自己:
千萬不能融化
否則星球將被大水淹沒
冰是種疑問
而且不可尋找解答

大冰河知道
回憶既堅硬又純淨
時間在此處失去意義
因為時間積疊在此
失去消失的能力

大冰河必須
鏈鎖星球的兩個極端
互相矛盾的極端
被不可尋找解答的疑問壓制
保護了水的生命力

時間被擠壓成回憶
疑問變得既堅硬又純淨
解答在此處失去意義
因為解答積疊在此
而且千萬不能融化

Sun Jan 13 02:05 2002

冰河中

冰河解凍了
暗流的河水侵蝕冰層
冰層表面出現裂痕
版塊擠壓摩擦
冬天的化石發出春天
刺骨的聲音

超巨大的版塊包藏了
不可思議的冰芒
撞碎擠裂薄弱的版塊群
卻在璀璨天光下突然崩潰
翻騰沉沒於碎冰間
復露出角角尖銳

利刃間豁然浮出
冬天冰封之際
踏破薄冰的死麋
如同被水晶包覆的隕石
緩緩在銀河群星間
優雅運行

一河浮冰
如爭先恐後的鏡片
映射出冬天塊塊破碎形象
然後化成春水
死麋身上的冰融化後
也栩栩如生地沉沒
彷彿正在溺斃

Sun Jan 2002-01-13 23:40:49

小冰河

"Maunder Minimum"
——E. W. Maunder

究竟有沒有所謂的
十七歲危機?

初戀失敗後我仍被囚禁在
開明專制的大學聯考壓力下
這的確不算是啓蒙
只是反覆練習記憶術
雖然我私下讀了明夷待訪錄
高中老師辦公桌前
記得還擺了本早期台灣史
我第一次去算命
急切地想預知未來
或者是根本是想拋掉過去
事實上當時不認爲初戀已結束
只是進入小冰河時期

究竟有沒有所謂的
十七世紀危機?

君主像情人一樣
喜歡宣稱自己是太陽
據說太陽黑子數量降到極少時
產生了小冰河時期
壞年景,水旱交加的氣候
戰爭與叛亂不斷爆發
路易十四、彼得大帝、奧朗則布、康熙皇帝
都是歷史上的偉大君主

天人感應般的巧合
除了揭露史家的巫祝源流外
軌道離心律、自轉軸斜度、歲差運動
難道就能舒緩溫室效應的罪惡感

究竟十七世紀與十七歲
是不是小冰河期？

星球上的冰河
與詩人心中的冰河
產生了某種衝突與危機
刺激了回憶中的問題
並尋求未來的解答
可是到目前爲止沒有答案
只徒增了一推解釋
平行並列在此處
就像冰河中凍藏各種岩石
以感覺不到的速度前進
在地表刻下俊逸曲線
萬年冰融後誤認是一氣呵成

「夫天運，三十歲一小變，百年中變，五百載大變；三大
變一紀，三紀而大備，此其大數也。爲國者必貴三五。上
下各千歲，然後天人之際續備。」
　　　　　　　　　　　——司馬遷，《史記‧天官書》。

Sun Jan 2002-01-13 23:40:49

註：

　　E.W. Maunder，曾任英國格林威治天文台(Greenwich
Observatory)「太陽部」(Solar Department)主任，於 1890、1894

與 1922 年發表一系列論文，指出太陽黑子的數量在 1645-1715 年間，進入一段「延長的太陽黑子低量期」(A Prolonged Sunspot Minimum)，在 1672-1704 年間沒有觀測到任何太陽黑子，在整段時期中沒有觀測到任何大範圍的黑子群，僅僅在太陽低緯度區觀察到少數、零星、短暫的黑子現象。這段時期與十七世紀的「小冰河時期」(Little Ice Age)重疊，因而引起學者提出假說，研究太陽對地球氣候的影響。(引自：Parker, Geoffrey & Smith, Lesley M., ed., *The General Crises of The Seventeenth Century*, London: Routledge, 1997.)

(《乾坤詩刊》，第 22 期，2002 夏季號。)

卷三

蕭條鵲封・偽情詩

詩信三首

因信得救

給妳寫信
妳很少回
或是隔兩個月才回
我也習慣了

這次寫信給妳
本來也只是個形式
僅僅是因爲一年多沒聯絡了
我默默地盡朋友的義務罷了
就像樹到秋天
葉子上就會有字跡
然後就莫名其妙地掉落
飄呀飄呀飄

對於像妳這樣的朋友
我感到很頭疼
對於我這樣的樹
也很可疑不是嗎

但這次的確是妳救了我
就像一片片落葉那樣
默默地救了秋天
或像秋天
默默地救了落葉的樹
但這次卻是

對妳的信仰已經

對我的自信仍然
心中相信 口中言是
的時代也許
如果妳拯救了我
我拯救了妳如果
妳的如果 我的如果
可是因信得救?

Wed Jun 2 21:30:07 1999

我一直有種錯覺

妳並不是年近三十
上班無聊，寫詩為樂的
陌生人
而是暗中看著我
我的好筆友
回我的信時裝庸俗
我寫的信
卻在裝雲淡風清
可這只是我的錯覺

或這是真的
妳就是她
詩寫得比我好
卻從不說破
默默地提醒我
是妳在教我
一首首寫給我看
知道我同樣在網路匿名世界
對看著彼此作品
心知肚明
而在現實世界
我誤把妳當作她
一位陌生詩魂

我不知妳為何對我隱瞞
當然，庸俗的我
也隱瞞著妳
於是一個是庸脂俗粉
一個是雲淡風清
察覺到這種矛盾時

我發出會心微笑
但這只是錯覺

睡覺夢見昔日失去的金簪
雙重的幻象

Wed Mar 21 22:57:53 2001

雨夜沾滿霧氣的窗

雨夜收到你的信
如沾滿霧氣的窗
字跡都暈開了
我吃力地解讀著
因為你想對我說的話
比字跡更模糊

當窗上沾滿霧氣
我總忍不住
用手指在窗上寫字
當字句模糊時
也別怪我
在上面逕自寫下
我的意志

你知道我的意志
不可侵犯
所以寫下模糊的字句
窗內我煮著沸水
窗外你釋放著寒氣
我喝著燙水額角冒著汗
你默下著一行一行雨
我知道你的意志
也不可侵犯

所以隔著螢幕
我的詩如沾滿霧氣的窗
在雨夜發著幽幽的光
希望你趕快逕自寫下
你的意志

這霧氣
不久將如激情冷卻消散
我將你的信讀完
你也正好看完這首詩

Sun Sep 2 23:31:21 2001

偽情詩

我仍是妳的最大在野黨

有些女孩的愛情席次很混亂
現任男友只佔 35%
前任男友居然還有 25%
連初戀情人都沒有泡沫化
固守著 5%的戀情門檻
更可怕的是一些無黨籍的男人
高中暗戀的對象 2 席
辦公室的帥哥 3 席
性幻想用的偶像明星
還可以組個政團
但這些散兵遊勇影響不了
愛情的政治運作
最可怕的其實是女孩的父母
30%的婚姻安定聯盟
擁有否決權

有些女孩的愛情體制很理想
兩黨制,還時常政黨輪替
有些女孩則是一黨獨大
男友就是她的溫柔獨裁者

我不敢猜測
妳的情緒如何運作
我不想執政
沒有影子內閣的企圖
我只願做忠誠的愛情在野黨
紓解妳模糊的中間情緒

戀情受杯葛時我聽妳的傾訴
執政黨過半時我甘願萎縮
只要舊情依依
我仍是妳永遠的在野黨

Sat Dec 8 01:05:31 2001

親愛的，年底我不想投票

年底我不想投票
不是因爲嶄新的選票太潔白
不是用再生紙製造
會使許多老樹死掉
也不是黨派鬥爭太黑暗
或是經濟不景氣
這些都不會使我氣餒

親愛的，你去投票
因爲我確信你深愛著我

如果每個人都確信
自己被另一人深愛著
如果一半的選民
爲親愛的另一半投票
親愛的，去爲我的幸福投票
因爲被動的幸福更主動
沒主見的情人更民主

沒主見的民主
更可愛

Thu Oct 25 17:45:04 2001

我的野蠻在野黨

A Villanelle

這是個女孩子佔優勢的時代
也是女人最吃虧的時代
喔！我的野蠻在野黨！

自由戀愛就是時時刻刻公民投票
妳的心如股票，突然將我套牢
這的確是個女孩子佔優勢的時代

就這樣約我出來，盡情展現亮麗
花言巧語地削掉我的預算，我陪著笑臉
喔！我野蠻的在野黨！

妳曾是我的執政黨，我卻只是妳的龐大幻想
版圖中小小的一部份，當我一席席地忘了妳時
卻發現這是個在野黨佔優勢的時代

女孩子追求高薪、升遷與更好的男人
不做家事、同居晚婚與完美的試管嬰兒
喔！我的野蠻女孩！

我的愛情無法脫離妳獨立，我活在欺騙
活在另一個女孩的版圖中，想著妳，
在這個女孩子佔優勢的時代
想著，我的野蠻在野黨！

2002-07-09 23:23:06

殷鑒

鑒者，見也

* * * * * * *

我第一次見到妳的時候
只看到妳的背影
看到妳光可鑒人的黑髮中的
我自己

* * * * * * *

殷者，陰也

* * * * * * *

我寧願相信
妳過去的過去
曾是我的母親
就像我未來的未來
會在妳的身上誕生

* * * * * * *

以殷為鑒

* * * * * * *

我只是個凡夫俗子
怎能與妳在一起
怎能在妳的容顏中

看到自己的笑臉

一面鏡子
怎能愛上另一面鏡子?
鏡子照鏡子
又能產生什麼結果?
我是說如果
妳願意看看我

＊＊＊＊＊＊＊

春與秋

＊＊＊＊＊＊＊

秋風
沒有本體的本體
像妳一樣
我又和妳相像
兩個沒有本體的人
一個追
一個逃
其實都在原地不動
相看
相映
明明是豐收的季節
卻如此
純白的感覺

＊＊＊＊＊＊＊

春天是兩面鏡子間

無窮無止的反光

＊＊＊＊＊＊＊
……………事實上
不是我如何敘述妳
或是妳如何敘述我
而是………………

＊＊＊＊＊＊＊

凡是屬於殷鑒
這面魔鏡
或由之而生的
由之而死的
我們都可以稱之為
愛情

Wed Oct 13 00:33:35 1999

初戀的二重證據法

每個人都有自己的創世紀
但更重要的是出谷紀
你有沒有想過
自己的父母當初如何戀愛
如何把你生下來

每個人都有自己的喪禮
也許是很糟糕很恐怖就腐爛了
但多半總有些儀式
就像每個人都有初戀
就算是強迫的買賣的或想像的
你可能沒有回憶過初戀
也可能從未認真想過這回事
更不會去編套說辭
將來去應付自己的子女
也對父母的過去毫不在意
但你無法迴避自己的葬禮

那天我看到一隊壯觀的送葬行列
就一直想說給你聽
各式各樣的黃白電子花車黑頭車
一輛接一輛阻塞了省道交通
樂儀隊夾雜著中國與西洋樂器
透過擴音器發出震耳噪音
一隊穿著旗袍披著肩帶搖著羽毛扇
像中國小姐似的美女團
一隊誦經的和尚與尼姑敲著法器
接著又是花車與黑頭車
這真能令人看傻了眼
而我想說給你聽的還有更多

因爲民族國家必須建立合法性
一段現代婚姻必須基於愛情
而創世紀式的初戀總是含糊其詞
出谷紀的漂泊結束才能掌握實權
就像死亡使一個人變得具體
人活著時太抽象太矛盾
有太多奇怪的可能性
死亡能使人安定下來靜下來
因爲真正的人是活在別人的記憶
在世時只是動物

可是名義上創世紀高於出谷紀
初戀是光榮的因爲說不清
婚姻總有些不甘願與隱瞞
我當然不是要考掘情書與電話紀錄
也不是要訪問相關當事人
而是要逼迫你自覺地反省
你我的初戀已如上述的葬儀隊
中西夾雜展現權力又粗俗不堪
卻是一個十分穩定堅實
好的沒話說的開端

從此你我踏上出谷紀式的流浪
華麗的往事如陪葬品
將用來與虛實參半的記憶對證
而這段歷程每個人的父母都走過
你一旦理解人生其實是
逆向的發展
也就不需要再去追問父母
因爲重要的是使自己成爲
後代的祖宗

而初戀就是自己的創世紀
與出谷紀之間的尷尬
尷尬到需要二重證據法
來彌合歷史與神話

Tue Oct 16 23:57:06 2001
(《台灣詩學季刊》,第 38 期,2002.3。)

燭影斧聲

戀情的繼承與轉移
總是凶險萬分
燭影斧聲
旁觀者疑神疑鬼
深怕當事人的金匱之盟
毀於密室

其實戀人們只是舉燭
夜談，持禮器小玉斧
如此白潤的意志
在靄靄如雪入戶月光上
無意識地　隨手刻劃
如年邁君主口述遺詔

Mon Jan 28 11:39:49 2002